Piano · Klavier

Monika Twelsiek

Piano Duets

Klavier-Duette · Duos de piano

50 Originalstücke aus 3 Jahrhunderten
für Klavier zu vier Händen

50 Original Pieces from 3 Centuries
for Piano Duet

50 pièces originales de 3 siècles
pour piano à quatre mains

ED 21379
ISMN 979-0-001-18763-3

www.schott-music.com

Mainz · London · Berlin · Madrid · New York · Paris · Prague · Tokyo · Toronto

Inhalt / Contents / Contenu

Rondo

F-Dur / F major / Fa majeur

Johann Christian Bach
(1735–1782)

Rondo

F-Dur / F major / Fa majeur

Johann Christian Bach
(1735–1782)

ad lib.
cresc.
da capo al

44
p
55
f
66
75
p
85
cresc.
f
94
tr
*)
da capo al ⊕ - ⊕
*) Cadenza ad lib.

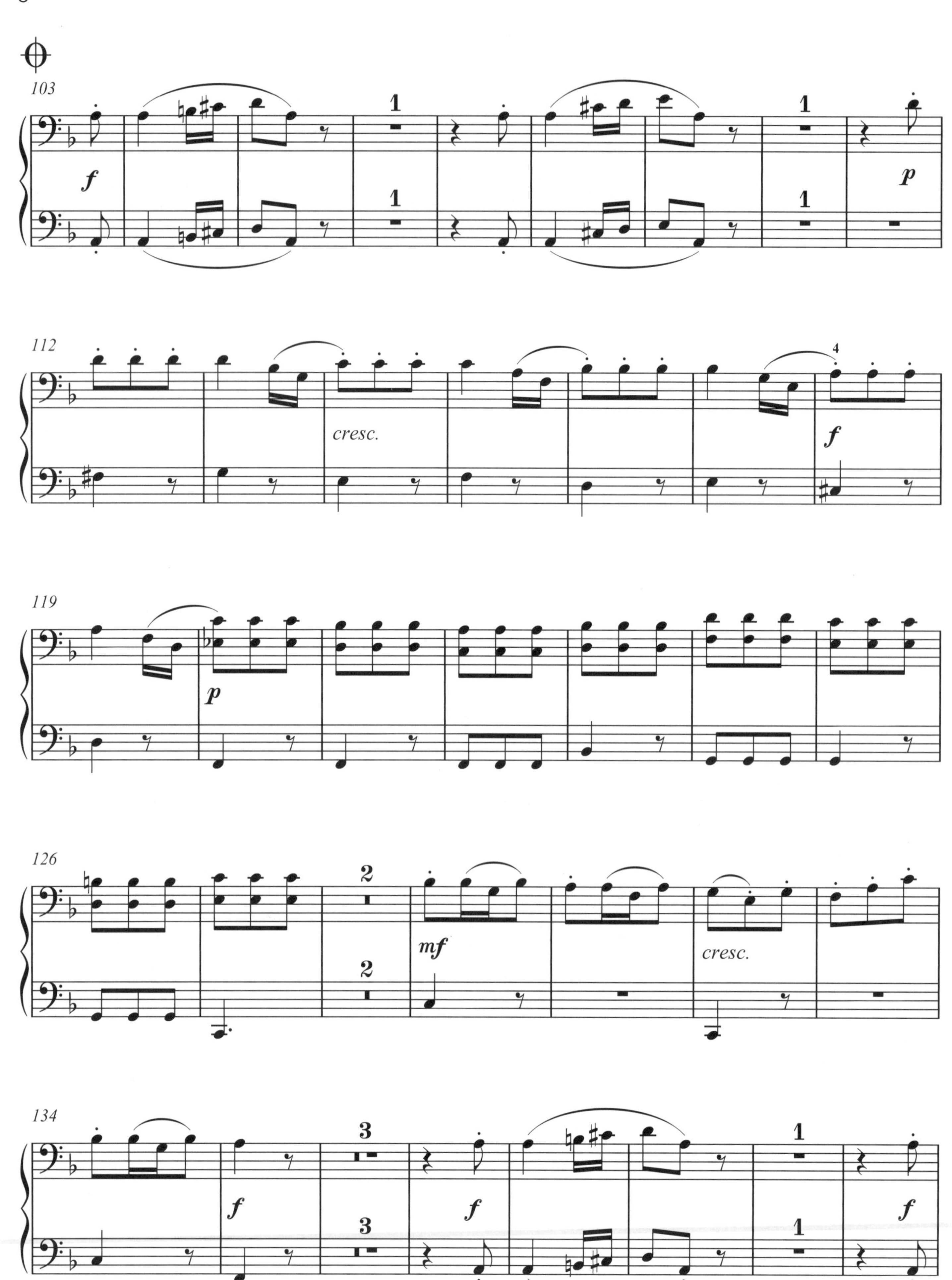
f
p
cresc.
f
p
mf
cresc.
f
f
f

103
1
f
p
112
cresc.
117
f
p
123
mf
130
cresc.
f
137

144
p
cresc.
154
f
164
f
180
p
190
mf
f
200
p
207

144
p
cresc.
153
f
p
162
tr
f
p
173
f
183
p
mf
192
f
p
203
f

Sonate
C-Dur / C major / Ut majeur
KV 19d

Wolfgang Amadeus Mozart
(1756–1791)

Sonate

C-Dur / C major / Ut majeur

KV 19d

Wolfgang Amadeus Mozart
(1756–1791)

27
31
35
40
46
51
56

tr

Menuetto

Menuetto
tr
Trio

42
48
Menuetto da capo
Rondeau
Allegretto
7
13
19

Menuetto da capo
Rondeau
Allegretto

25
31
37
43
49
57

25
31
37
43
49
58

68
5
5
2
4
3
77
83
89
1
1
1
3
96
103

Adagio

Adagio

149
4
2
2
1
156
Allegro
162
168
174

Allegro

Sonate
D-Dur / D major / Ré majeur
KV 381

Wolfgang Amadeus Mozart
(1756–1791)

Allegro

Sonate
D-Dur / D major / Ré majeur
KV 381

Wolfgang Amadeus Mozart
(1756–1791)

31
p
36
p
f
41
46
50
54
f

59
63
67
71
74
p
f

59
63
67
71
74
tr

77
p
81
f
84
89
92

Andante
p
f
p
tr
f
tr
tr
p

Andante

34
41
46
50
52
55

34
37
44
47
50
54

Allegro molto
9
19
29
38
46

Allegro molto

56
65
73
84
91
98

56
f
63
71
80
90
97
f
f

106
116
126
135
143
149
160
p
f
tr

106
116
124
131
149
155
162
tr.
p
f

Sonate
D-Dur / D major / Ré majeur
opus 6

Ludwig van Beethoven
(1770–1827)

Sonate
D-Dur / D major / Ré majeur
opus 6

Ludwig van Beethoven
(1770–1827)

57
67
74
84
92
p cresc.
102

57
ff
fp
63
ff
73
pp
82
ff
sf
90
ff
p
99
p cresc.
ff
105
sf
sf
sf
ff

110
115
cresc.
120
ff
p
127
sf
sf
sf
p dolce
135
f
sf
sf
142
sf
sf
149
ff
sf
ff

110
p
cresc.
118
ff
p
127
p cresc.
137
f
sf
sf
f
sf
sf
144
151
ff
sf
ff

Rondo

Rondo

cresc.

cresc.

39
p dolce
sf
43
sf
47
f
p
50
54
59
fp

39
p dolce
sf
43
sf
sf
47
f
p
51
sf
55
60
fp
63
decresc.
pp

p dolce
cresc.
dolce

dolce
sf
f
fp
sf
dolce
sf
ff

Sonatine

opus 163/1

Anton Diabelli
(1781–1858)

aus / from / de: Jugendfreuden / Pleasures of Youth / Les joies de la jeunesse op. 163

Sonatine

opus 163/1

Anton Diabelli
(1781–1858)

aus / from / de: Jugendfreuden / Pleasures of Youth / Les joies de la jeunesse op. 163

22

25
f

28
p

30
cresc.
f

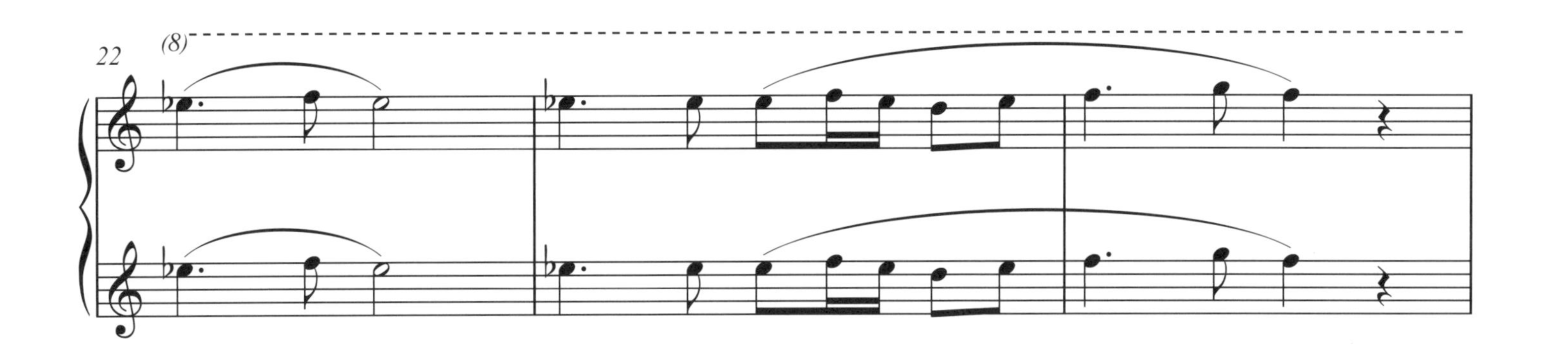
22
(8)

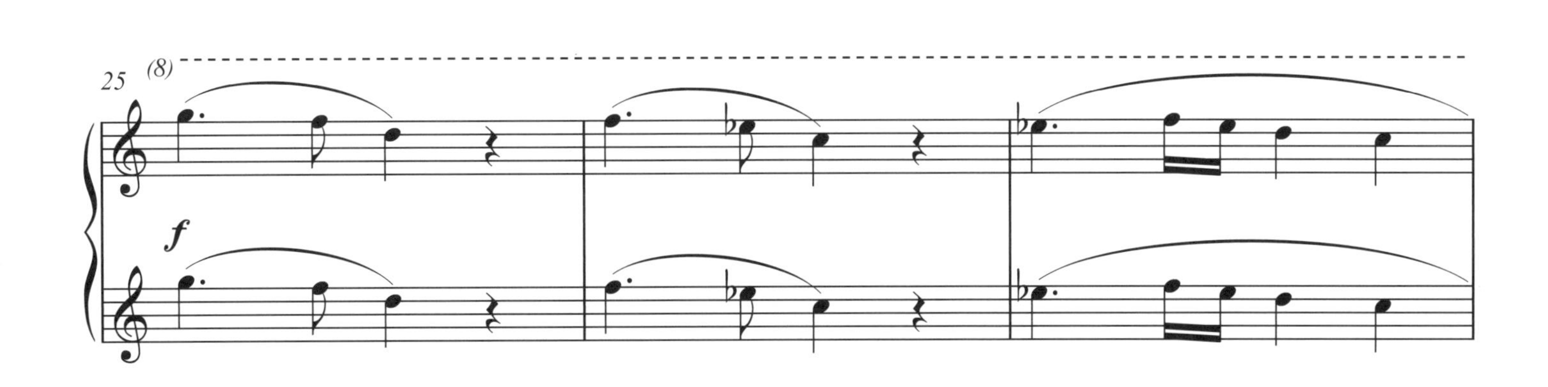
25
(8)
f

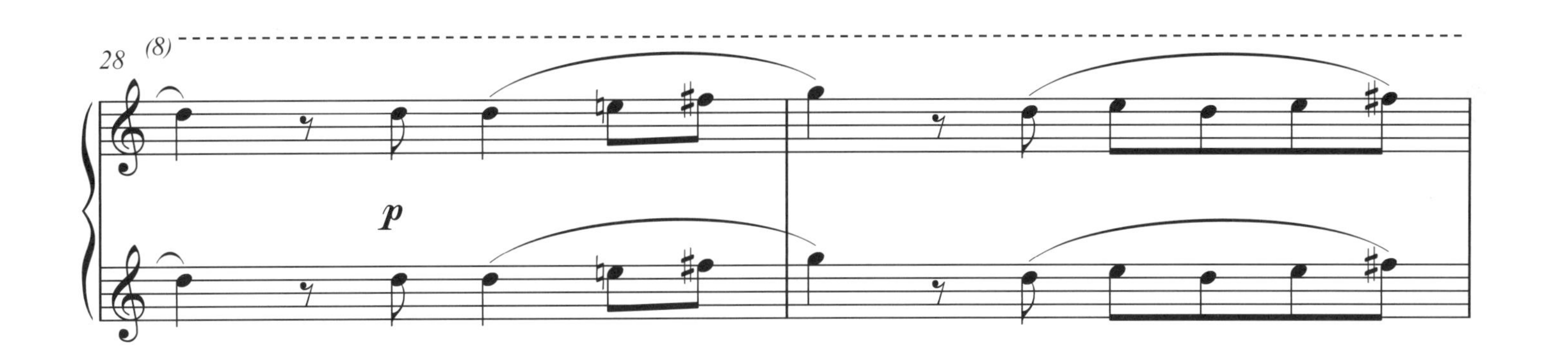
28
(8)
p

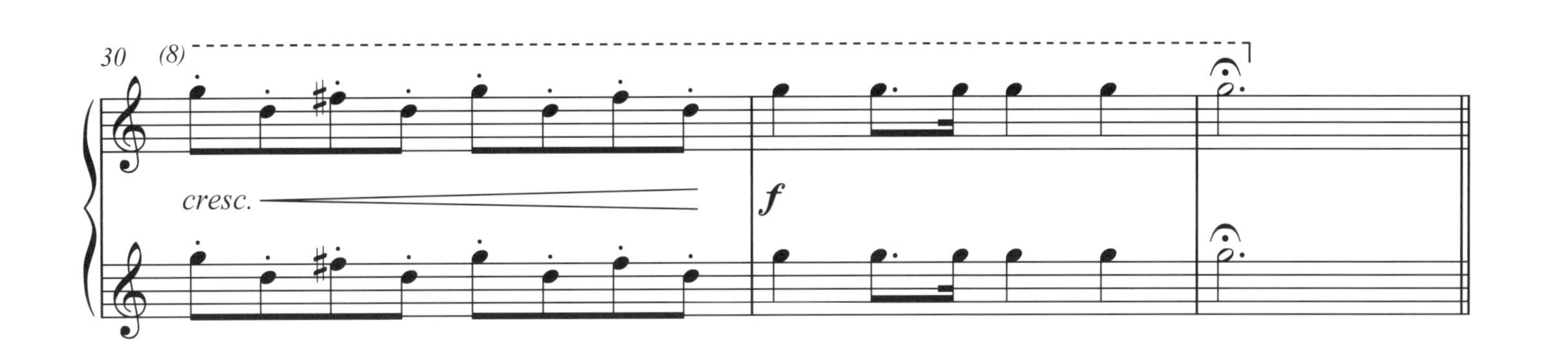
30
(8)
cresc.
f

Allegro moderato
p dolce
5
10
14
17
f
p
ff

Allegro moderato
p dolce
f
p
sf
sf
fz
f
p
ff

20
p dolce
24
cresc.
28
ff
31
p
36
f

19
8
p dolce
24
(8)
cresc.
28
(8)
ff
p
32
(8)
36
3
f
p

40
45
f
p
48
cresc.
ff
Romanze
Andantino
p dolce
sempre legato
5
cresc.
f

40
(8)
44
(8)
fz
f
p
48
(8)
cresc.
ff
Romanze
Andantino
8
p dolce
sf
5
(8)
cresc.
f

9
p
cresc. poco a poco
14
f
p
p
19
sf
sf
pp
Rondo
Allegro vivace
f
p
f
p
9
f
p
17
f
p
f

9
8
p
cresc. poco a poco
14 (8)
f
p
19 (8)
pp
Rondo
Allegro vivace
8
f
p
f
p
9
(8)
f
p
17
(8)
f
p
f

25
f
p
f
p
33
f
ff
p
41
f
p
f
49
p
56
f
62
ff

25
2
8
fp
2
8
fp
f
34
(8)
1
8
ff
p
41
(8)
f
p
f
49
(8)
sf
p
56
(8)
sf
f
62
(8)
ff

Sonatine

opus 3/1

Carl Maria von Weber
(1786–1826)

Sonatine

opus 3/1

Carl Maria von Weber
(1786–1826)

31
fz
p
dolce
36
dolce
pp
43
p legato
fz
p
49
pp
fz
52
pp
fz
p
55
f
58
ff
ff

fz
p
pp
dolce
pp
dolce
pp
p
fz
p
pp
staccato
fz
pp
fz
p
f
ff
ff

4 Ländler

D 814

Franz Schubert
(1797–1828)

aus / from / de: Ländler / Landler, Schott ED 2338

4 Ländler
D 814

Franz Schubert
(1797–1828)

aus / from / de: Ländler / Landler, Schott ED 2338

3
cresc.
cresc.
4
pp con sordini
espressivo
cresc.

3
f
cresc.
8
sf
p
cresc.
ff
p
4
pp con sordini
7
fp
fp
pp
14
cresc.
f

Kindermarsch
Children's March / Marche enfantine
op. posth.
D 928

Franz Schubert

Kindermarsch
Children's March / Marche enfantine
op. posth.
D 928

Franz Schubert

33
39
45
53
60
66
p
f
sf

Militärmarsch
Military March / Marche militaire
opus 51/1

Franz Schubert

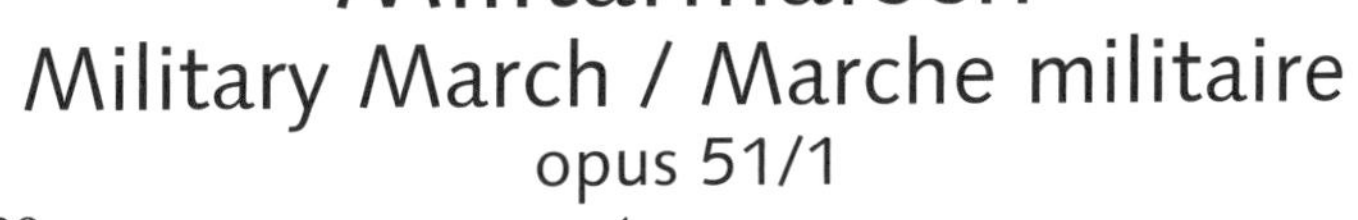

Militärmarsch

Military March / Marche militaire

opus 51/1

Franz Schubert

43
p
48
fp
f
53
58
1.
sf
sf
2.
sf
60
sf
sf
sf
sf
ff
sf
Fine

43
p
48
fp
f
53
58
1.
sf
sf
2.
59
4
4
8
ff
sf
Fine

Trio

Marsch D. C. al Fine

Trio
cresc.
mf
p
Marsch D. C. al Fine

Grande Valse Brillante

opus 34/2

Frédéric Chopin
(1810–1849)

Unbekannter Bearbeiter aus dem 19. Jahrhundert / unknown arranger from the 19th century
aus / from /de: Chopin vierhändig / Chopin with four hands, Edited by Franzpeter Goebels, Schott ED 7626

Grande Valse Brillante

opus 34/2

Frédéric Chopin
(1810–1849)

Unbekannter Bearbeiter aus dem 19. Jahrhundert / unknown arranger from the 19th century
aus / from /de: Chopin vierhändig / Chopin with four hands, Edited by Franzpeter Goebels, Schott ED 7626

40
48
Sostenuto
f
56
65
p
74
pp

40
49
Sostenuto
f
57
f
65
p
74
pp

83
Ped.
*
90
97
105
1
113

121
Sostenuto
f
128
135
p
(p)
142
pp
150
tr
158
tr

Sostenuto
121
f
128
135
p
142
149
pp
157

166
174
pp
Ped.
181
poco rit.
188
(a tempo)
tr
197
tr

166
173
pp
181
poco rit.
189
(a tempo)
197

Geburtstagsmarsch

Birthday March / Marche d'anniversaire

opus 85/1

Robert Schumann
(1810–1856)

Im Marschtempo

mf

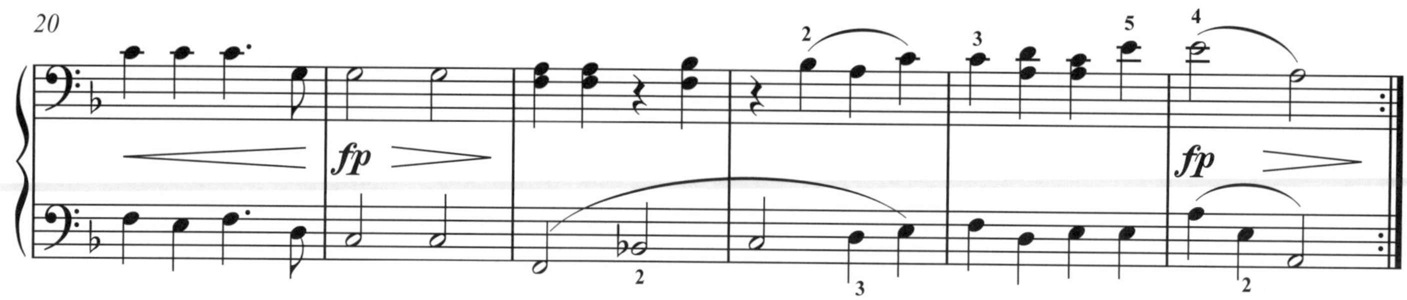

Geburtstagsmarsch

Birthday March / Marche d'anniversaire

opus 85/1

Robert Schumann
(1810–1856)

26
p
31
mf
36
f
41
mf
cresc.
46
f
f

26
p
31
mf
36
f
41
mf
cresc.
46
f
f

Reigen
Round Dance / Ronde
opus 85/8

Robert Schumann

Reigen
Round Dance / Ronde

opus 85/8

Robert Schumann

*) Gradually fainter

*) Gradually fainter

Auf dem See

On the Lake / Sur le lac

opus 11/4

Robert Volkmann
(1815–1883)

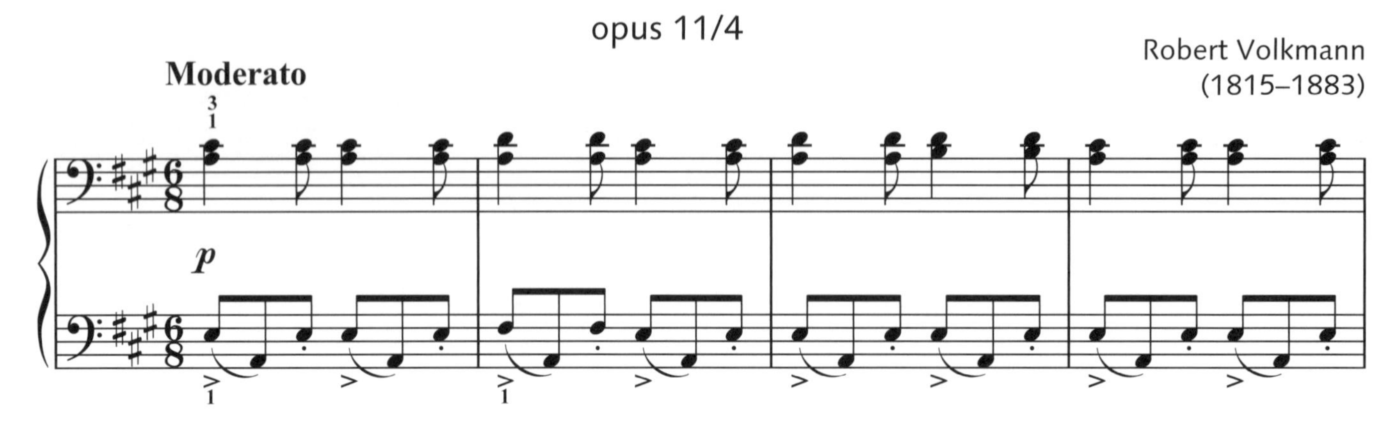

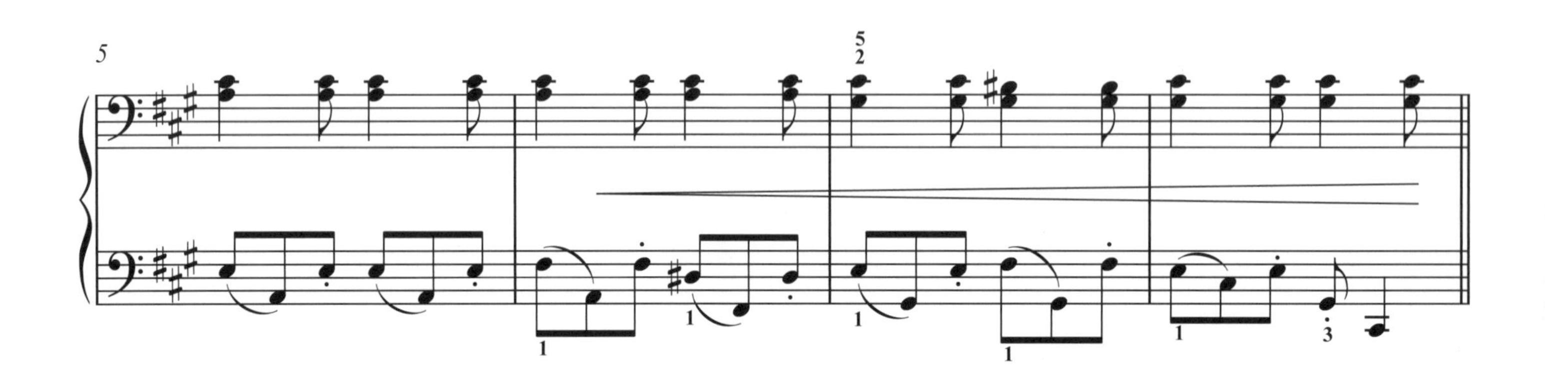

aus / from / de: Musikalisches Bilderbuch op.11

Auf dem See

On the Lake / Sur le lac

opus 11/4

Robert Volkmann
(1815–1883)

aus / from / de: Musikalisches Bilderbuch op.11

17
p
mf
22
f
mf
27
p
32
p
37
pp

Der Kuckuck und der Wandersmann

The Cuckoo and the Wanderer / Le coucou et le promeneur

opus 11/5

Robert Volkmann

aus / from / de: Musikalisches Bilderbuch op.11

Der Kuckuck und der Wandersmann

The Cuckoo and the Wanderer / Le coucou et le promeneur

opus 11/5

Robert Volkmann

aus / from / de: Musikalisches Bilderbuch op.11

Dr. Eduard Hanslick zugeeignet

Walzer
Waltzes / Valses
opus 39

I

Johannes Brahms
(1833–1897)

Tempo giusto

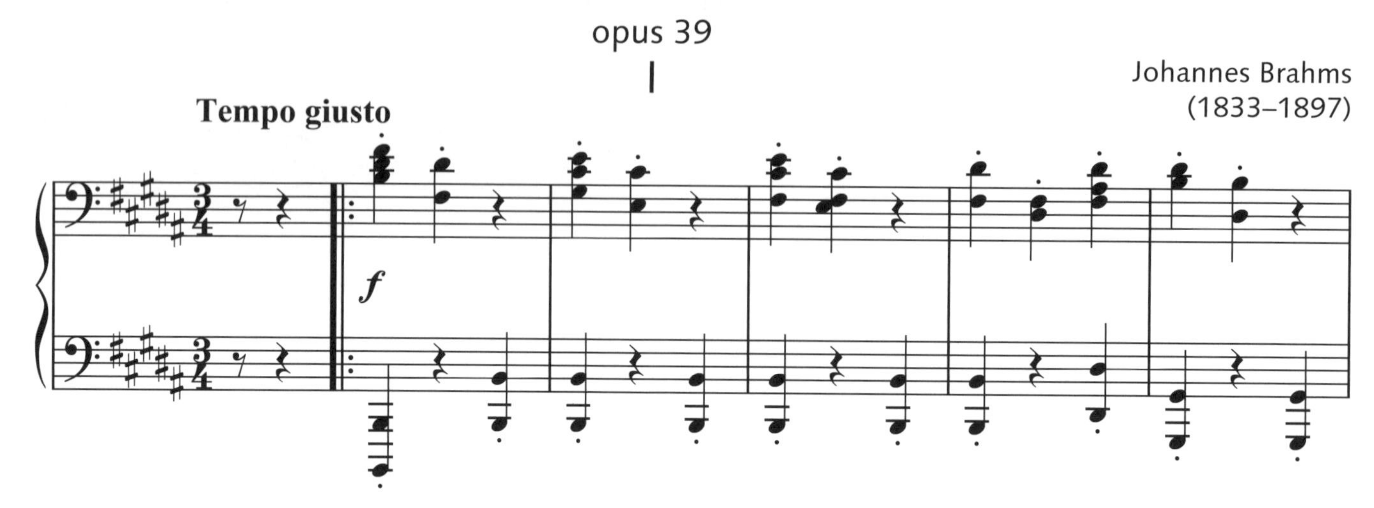

Dr. Eduard Hanslick zugeeignet

Walzer
Waltzes / Valses
opus 39

I

Johannes Brahms
(1833–1897)

Tempo giusto

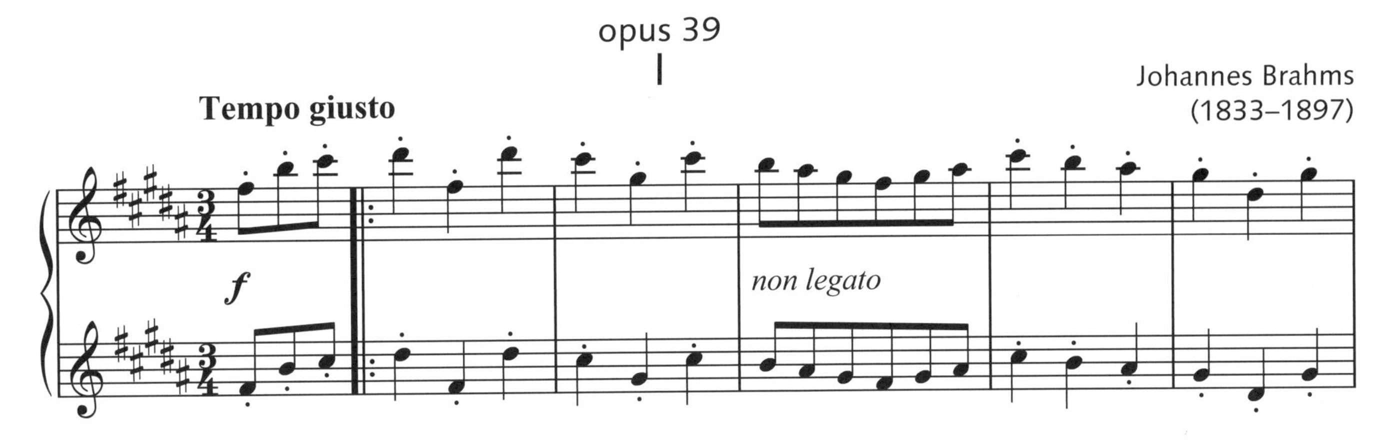

II

Johannes Brahms

III

II

Johannes Brahms

p

dolce

7

1. 2.

dolce

13

19

1. 2.

III

8

p

1. 2.

9

1. 2.

Johannes Brahms

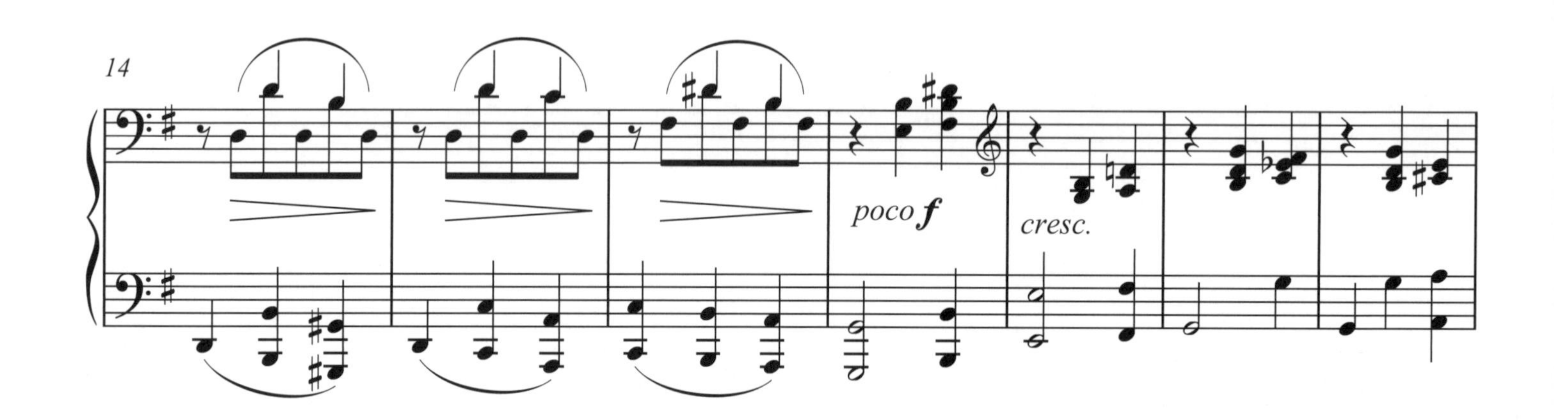

Johannes Brahms

IV

Johannes Brahms

VIII

Johannes Brahms

VIII

Johannes Brahms

IX

Johannes Brahms

IX

Johannes Brahms

X

Johannes Brahms

Johannes Brahms

XI

Johannes Brahms

XI

Johannes Brahms

XV

Johannes Brahms

XV

Johannes Brahms

XVI

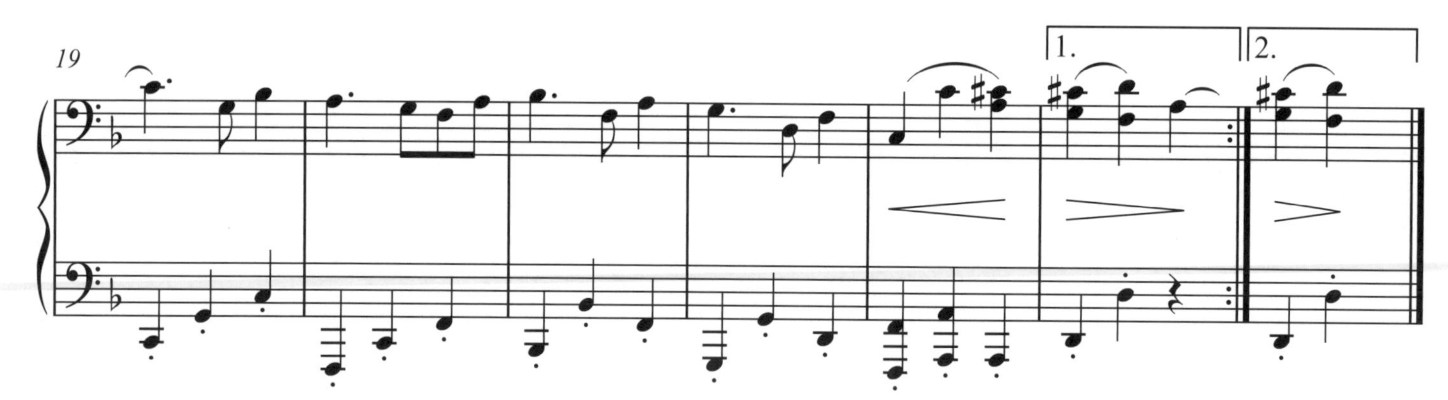

Johannes Brahms

XVI

Liebeslieder-Walzer

Love Song Waltzes / Valses des chants d'amour

opus 52a

IX

In wood embower'd, neath azure stay
a rosy maid looks from lattice high.
Well guarded is she with tock and key,
with ten iron bars is that maiden's door way made fast.
What, ten iron bars are a jest to me,
as tho they were glass they shall shatter'd be.

Johannes Brahms

Liebeslieder-Walzer

Love Song Waltzes / Valses des chants d'amour

opus 52a

IX

Am Donaustrande, da steht ein Haus,
da schaut ein rosiges Mädchen aus.
Das Mädchen, es ist wohl gut gehegt,
zehn eiserne Riegel sind vor die Tür gelegt.
Zehn eiserne Riegel - das ist ein Spaß;
die spreng ich, als wären sie nur Glas.

Johannes Brahms

34
f
40
p
47
cantando
53
58
rit.
pp

f
p dolce
rit.
pp

X

O how soft you murm'ring stream
thro' the meadow gliding!
Oh how sweet when found eyes beam
love and trust abiding!

Johannes Brahms

X

O wie sanft die Quelle sich
durch die Wiese windet:
O wie schön, wenn Liebe sich
zu der Liebe findet!

Johannes Brahms

XI

Johannes Brahms

No there is no bearing with
these spiteful neighbours,
all one doest' interpret wrongly,
each one labours.

Am I merry ? Then by
evil thoughts I'm hounted,
am I sad ? They say I
am with love demented.

XI

Johannes Brahms

Nein, es ist nicht auszukommen
mit den Leuten;
alles wissen sie so giftig
umzudeuten.

Bin ich heiter, hegen soll ich
lose Triebe,
bin ich still, so heißt's
ich wäre irr' aus Liebe.

Ungarischer Tanz Nr. 3
Hungarian Dance No. 3 / Danse hongroise No. 3

Johannes Brahms

Ungarischer Tanz Nr. 3

Hungarian Dance No. 3 / Danse hongroise No. 3

Johannes Brahms

Vivace
37
ff
44
sf
sf
p
51
sf
55
poco a poco
dim.
6
59
Tempo I
p
65

Vivace
ff
6
3
sf
p
sf
p
sf
poco a poco
p
Tempo I

Ungarischer Tanz Nr. 5

Hungarian Dance No. 5 / Danse hongroise No. 5

Johannes Brahms

Ungarischer Tanz Nr. 5

Hungarian Dance No. 5 / Danse hongroise No. 5

Johannes Brahms

49
Vivace
f
56
poco rit.
p
63
im Tempo
poco rit.
im Tempo
poco rit.
p dolce
70
im Tempo
poco rit.
im Tempo
dolce
77
Allegro
f

Vivace
49
sf
56
poco rit.
p
63
im Tempo
poco rit.
im Tempo
poco rit.
p dolce
70
im Tempo
poco rit.
dolce
im Tempo
77
Allegro
f

85
cresc.
f
p legg.
1
90
sf
f
95
100
poco rit.
p
1
2
105
im Tempo
sf
f
3
sf
f

85
f
8
p legg.
90
(8)
sf
f marc.
95
100
poco rit.
p
105
im Tempo
8
sf
f
3
8
f

Die Nachtigall

The Nightingale / Le rossignol

Johannes Brahms

aus / from / de: Souvenir de la Russie, No. 4

Die Nachtigall
The Nightingale / Le rossignol

Johannes Brahms

aus / from / de: Souvenir de la Russie, No. 4

Allegro vivace
45
f
52
marcato
f
59
ff
65
71
ff sempre
78
pesante

Allegro vivace
45
f
51
(8)
f
57
ff
64
71
78
ff sempre
pesante

La toupie
Kreiselspiel / The Top
(Impromptu)
opus 22

Georges Bizet
(1838–1875)

aus / from / de: Jeux d'enfants

La toupie
Kreiselspiel / The Top
(Impromptu)
opus 22

Georges Bizet
(1838–1875)

aus / from / de: Jeux d'enfants

pp
ff f
p
poco a poco cresc.
dim.
p
più p
smorzando
pp
2 Ped.
pp
ff
ff

pp
ff
f
p
poco a poco cresc.
dim.
più p
smorzando
2Ped.

La poupée

Die Puppe / The Doll

(Berceuse)

opus 22

Georges Bizet

Andantino semplice (♪ = 136)

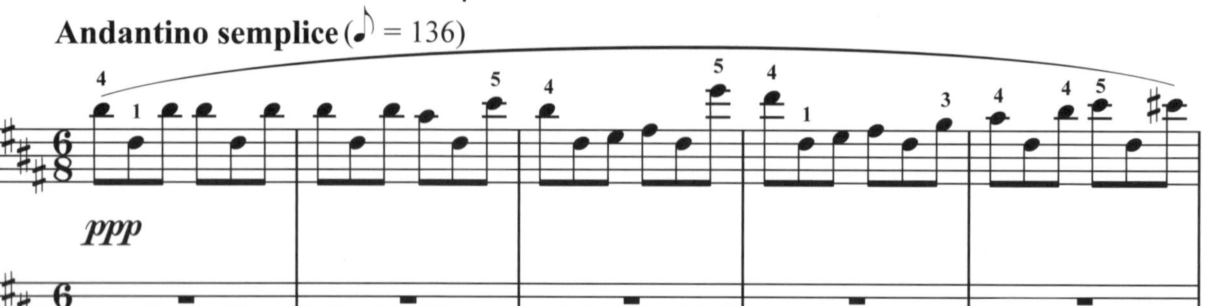

Ped. (una corda)

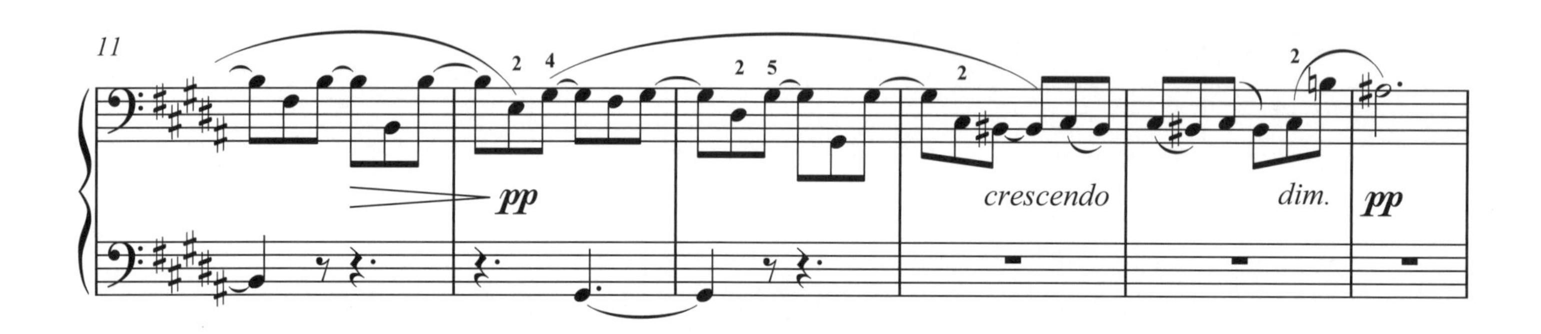

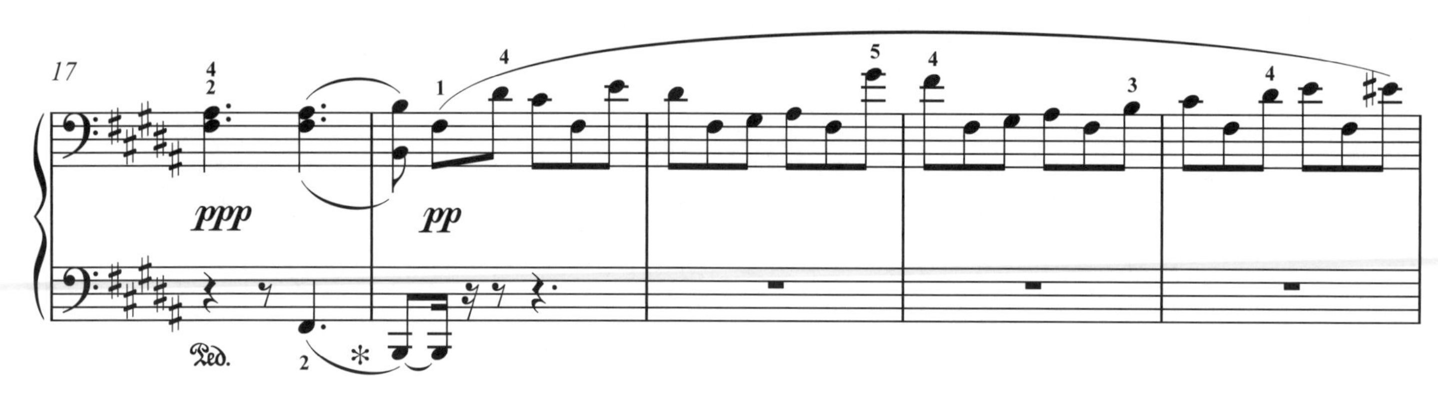

aus / from / de: Jeux d'enfants

La poupée
Die Puppe / The Doll
(Berceuse)
opus 22

Georges Bizet

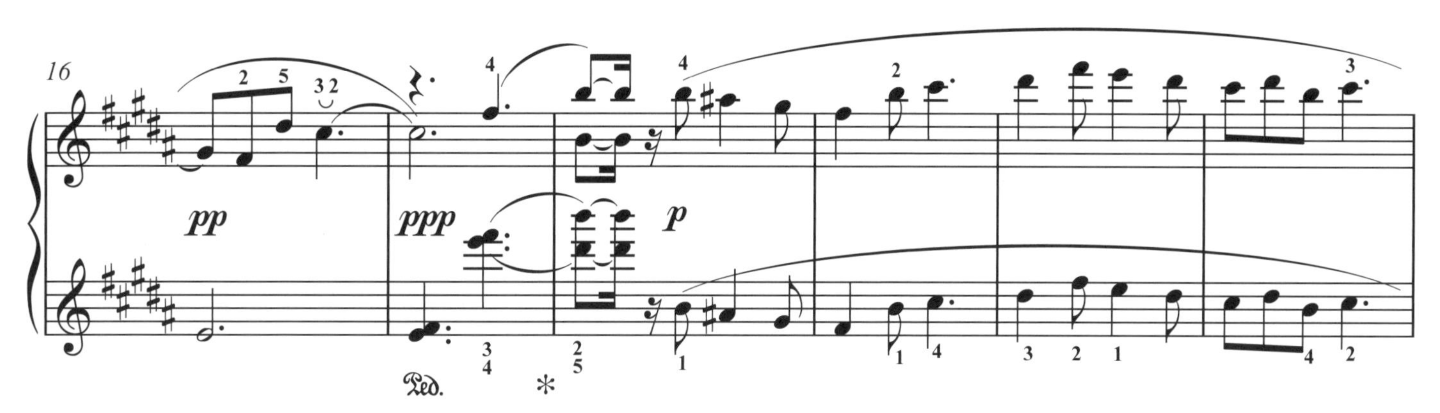

aus / from / de: Jeux d'enfants

22
ppp
pochissimo sf
pp
27
pp
crescendo
dim.
32
pp
ppp
ppp
38
p
43
dim.
pp
smorzando
una corda

pochissimo sf
p
cresc.
dim.
pp
ppp
crescendo
sf
dim.
pp
smorzando
ppp
una corda

Silhouette

opus 8/8

Antonín Dvořák
(1841–1904)

Silhouette

opus 8/8

Antonín Dvořák
(1841–1904)

Slawischer Tanz Nr. 7
Slavonic Dance No. 7 / Danse slave No. 7
opus 46

Antonín Dvořák

aus / from / de: Slawische Tänze / Slavonic Dances op. 46, Schott ED 9004

Slawischer Tanz Nr. 7
Slavonic Dance No. 7 / Danse slave No. 7
opus 46

Antonín Dvořák

aus / from /de: Slawische Tänze / Slavonic Dances op. 46, Schott ED 9004

a tempo
49
pp
fp
pp
57
f
63
p
69
ff
rit. e dim.
a tempo
76
p
pp

a tempo
49
pp
sf
pp
57
8
ff
sf
65
(8)
p
ff
rit. e dim.
73
(8)
a tempo
p
79
pp

84
mf
f
93
p dim.
pp
102
mf
109
poco rit.
dim.
p
pp
116
a tempo
sf
122
sf

84
mf
sf
sf
91
sf
sf dim.
p
pp
99
mf
107
poco rit.
dim.
p
114
a tempo
pp
pp
3
sf
121
pp
sf
dim.

128
mf
ff
136
fp
fp
144
ff
148
152
ff

128
mf
cresc.
8
ff
133
(8)
fp
138
p
fp
143
8
ff
150
(8)
ff

157
ff
162
167
Più mosso
ff
marc.
175
poco a poco meno mosso
molto tranquillo
dim.
p
pp
183
rit.
pp
ff
Presto
ff

157
(8)
163
Più mosso
8
ff
170
(8)
poco a poco
meno mosso
dim.
177
molto tranquillo
rit.
p
pp
184
Presto
8
1
ff

Slawischer Tanz Nr. 8

Slavonic Dance No. 8 / Danse slave No. 8

opus 46

Antonín Dvořák

aus / from /de: Slawische Tänze / Slavonic Dances op. 46, Schott ED 9004

Slawischer Tanz Nr. 8
Slavonic Dance No. 8 / Danse slave No. 8

opus 46

Antonín Dvořák

Presto

8

ff

9

p

pp

17

8

ff

25

p

33

8

ff

p

f

aus / from /de: Slawische Tänze / Slavonic Dances op. 46, Schott ED 9004

41
pp
sf
47
sf
p
sf
53
sf
molto cresc.
59
f
65
ff grandioso
73
dim.
p dim.

41
(8)
pp
49
8
3
3
2
1
3
p
55
(8)
molto cresc.
61
(8)
f
ff
grandioso
67
(8)
ff
73
dim.
p dim.

81
pp
pp sempre
89
97
dim.
105
113
dim.
sempre più p
121
pp

81
1
2
1
p dolce e sempre legato

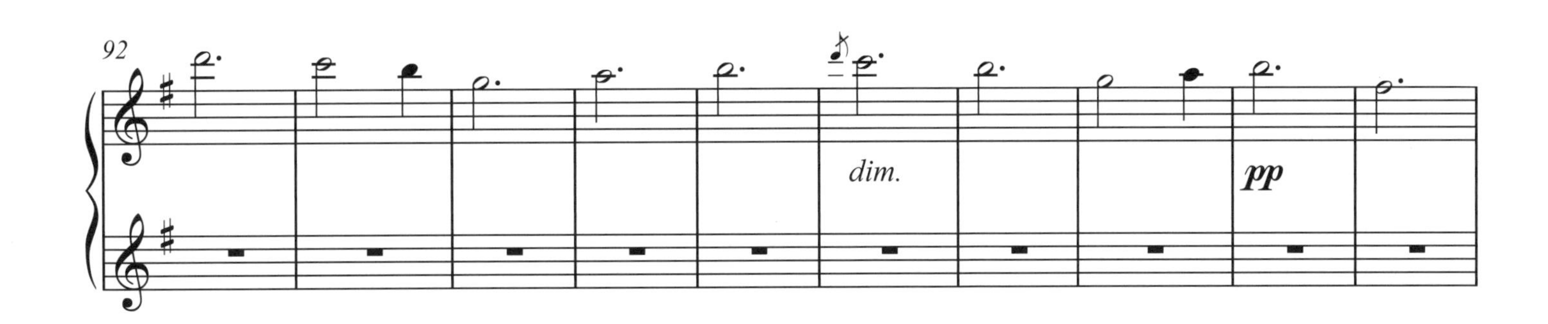
92
dim.
pp

102
legato

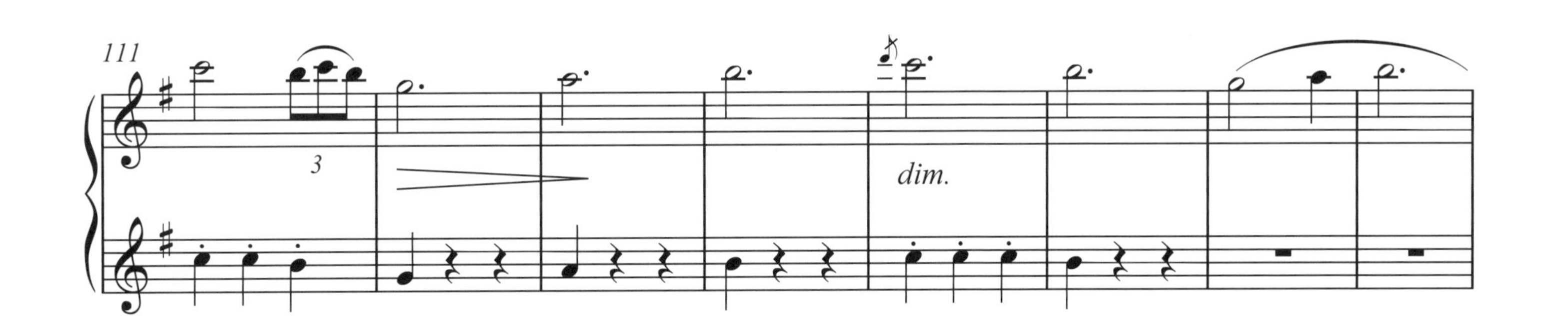
111
3
dim.

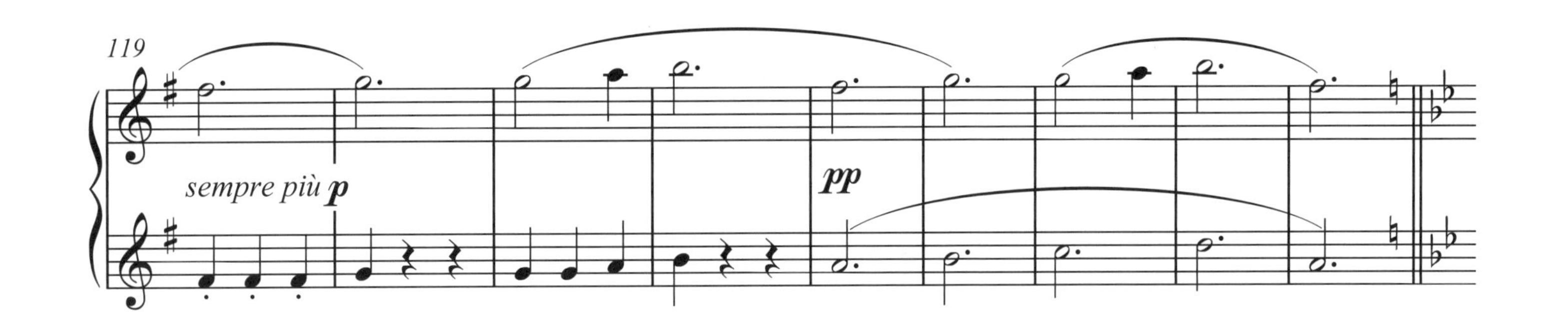
119
sempre più p
pp

128
ff
136
pp
144
ff
152
fp
160
ff
p
f
168
pp
sf

128
8
ff
136
p
pp
144
ff
152
p
160
ff
p
f
168
pp

174
sf
p
sf
180
sf
molto cresc.
186
f
192
ff grandioso
200
ff
p
sf
p
sf
p

174
(8)
3
3
2
1
3
p
180
(8)
molto cresc.
186
(8)
f
192
(8)
ff grandioso
f
200
8
ff
p
sf
p
sf
p

206
f
dim.
212
p
fp
fp
218
fp
ff sempre
224
dim.
230
p
dim.

206
(8)
sf
f
dim.
212
(8)
p
fp
p
fp
218
(8)
fp
ff sempre
224
(8)
dim.
230
(8)
p
dim.

236
pp
243
252
poco a poco meno mosso
cresc.
dim.
260
poco rit.
sempre più p
dim.
269
Presto
pp
ff

236
pp
3
3
243
1
1
1
1
1
sempre legato
pp
pp
pp
252
poco a poco meno mosso
cresc.
dim.
260
poco rit.
sempre più p
dim.
269
Presto
8
pp
ff

Norwegischer Tanz Nr. 2
Norwegian Dance No. 2 / Danse norvégienne No. 2

Edvard Grieg
(1843–1907)

Norwegischer Tanz Nr. 2

Norwegian Dance No. 2 / Danse norvégienne No. 2

Edvard Grieg
(1843–1907)

33
f
f stretto
39
p
ff
47
Tempo I
p dolce
54
poco rit.
sempre p
61
a tempo
pp
68
sempre pp
poco ritard. e morendo
ppp

33
f
f stretto
40
p
ff
47
Tempo I
p dolce
54
poco rit.
sempre p
61
a tempo
pp
68
sempre pp
poco ritard. e morendo
ppp

Peer Gynt-Suite No. 1
Morgenstimmung
Morning Mood / Le matin
opus 46

Edvard Grieg

Peer Gynt-Suite No. 1
Morgenstimmung
Morning Mood / Le matin
opus 46

Edvard Grieg

25
più f
Ped.
*
Ped.
*
30
ff
p
ff
p
Ped.
*
Ped.
*
35
ff
p
p
ff
Ped.
*
Ped.
*
Ped.
*
40
p
ff
p
ff
p
p
Ped.
*
Ped.
*
Ped.
45
ff
p
dim. e tranquillo
*
Ped.
*

25
f
Ped.
*
Ped.
*
più f
30
ff
Ped.
*
p
34
ff
p
Ped.
*
ff
p
Ped.
*
p
Ped.
*
molto
38
ff
Ped.
*
p
42
ff
p
Ped.
*
ff
p
Ped.
*
p
Ped.
*
molto
46
ff
Ped.
*
p
dim. e tranquillo

50
pp
Ped.
54
p dim. e tranquillo
ppp
trem.
58
62
pp
67

50
pp
Ped.
*
54
dim. e tranquillo
ppp
58
62
1
pp
66
tr

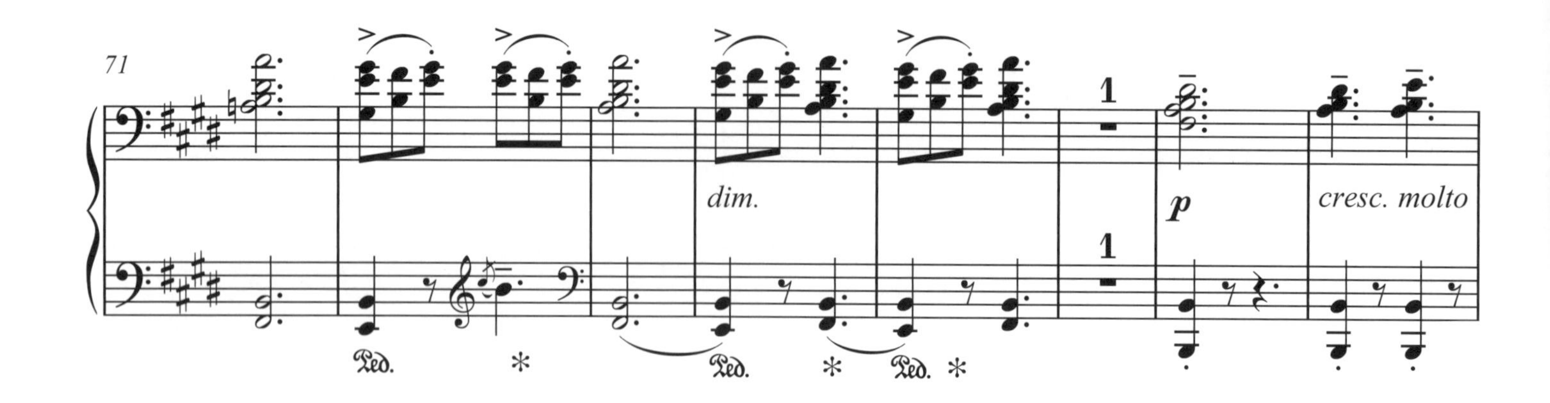

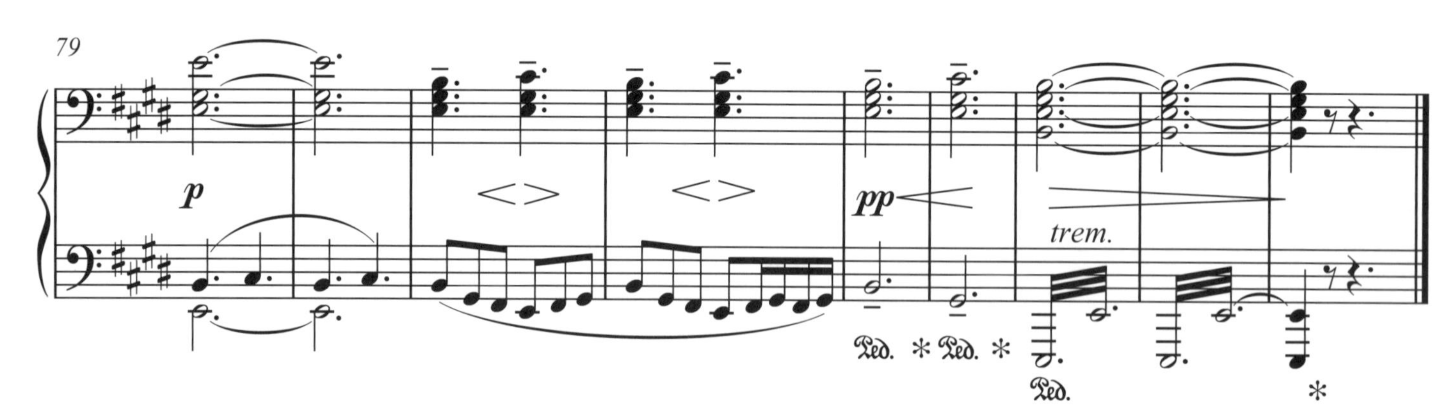

Åses Tod

The Death of Åse / La mort d'Åse

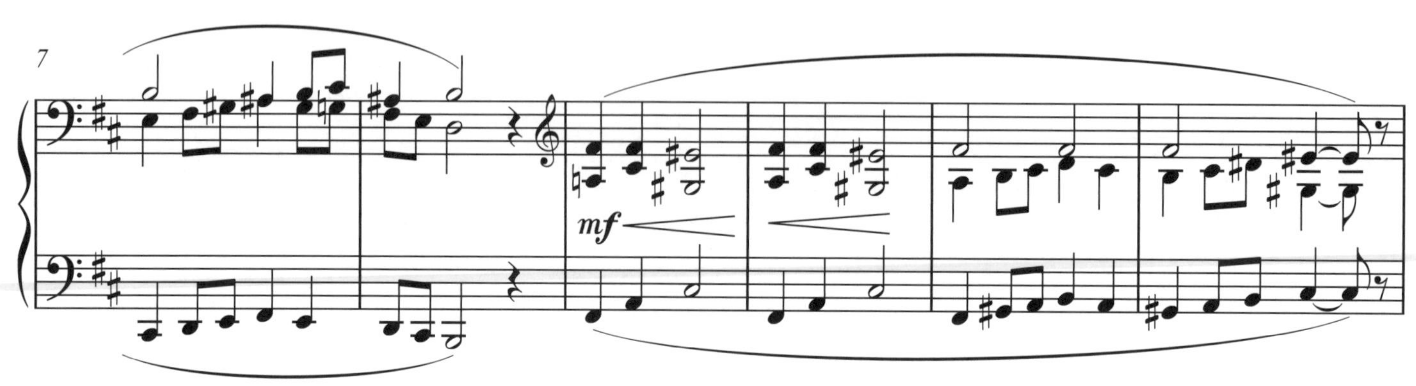

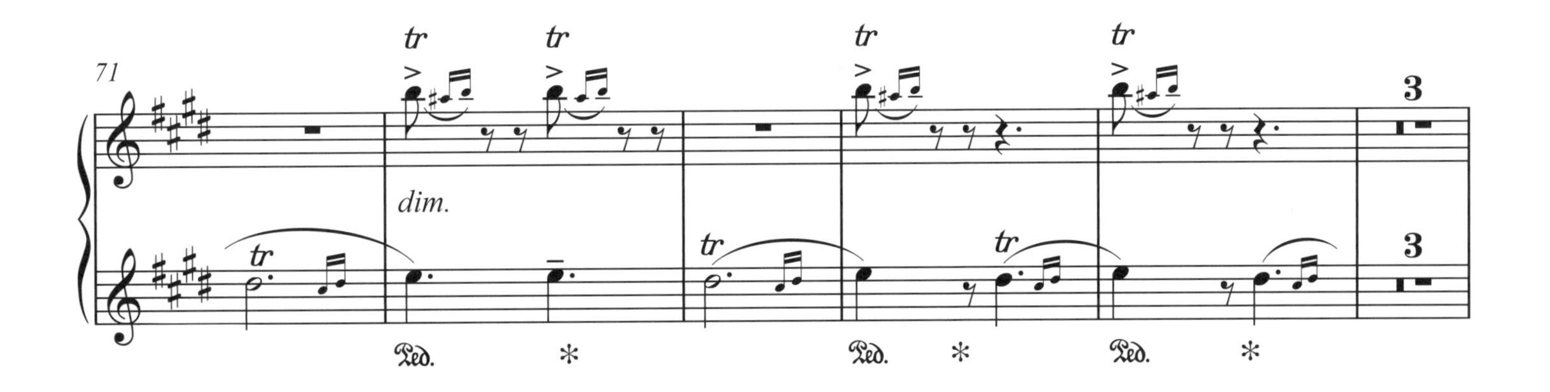

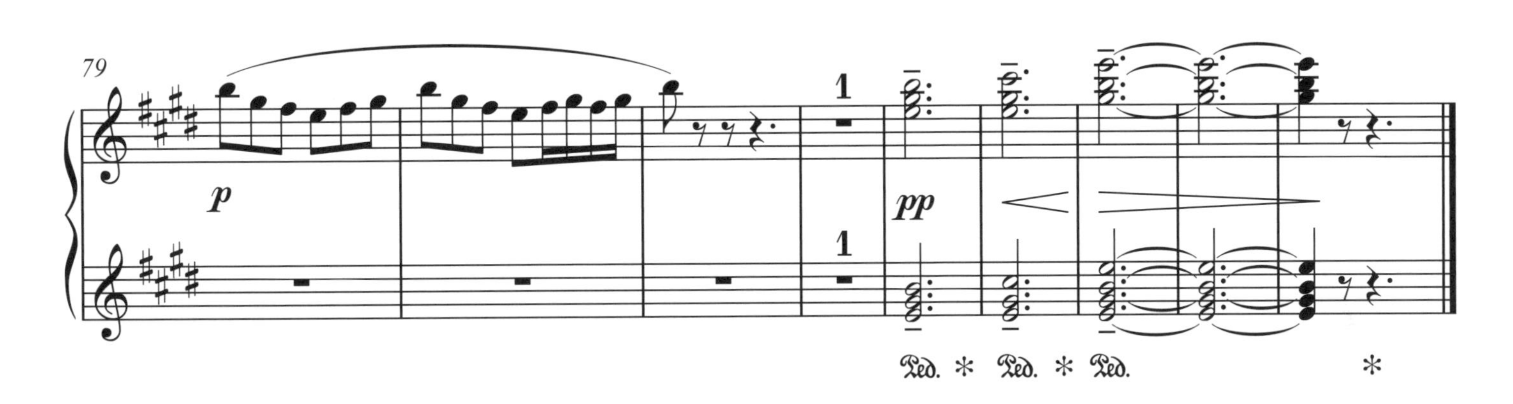

Åses Tod

The Death of Åse / La mort d'Åse

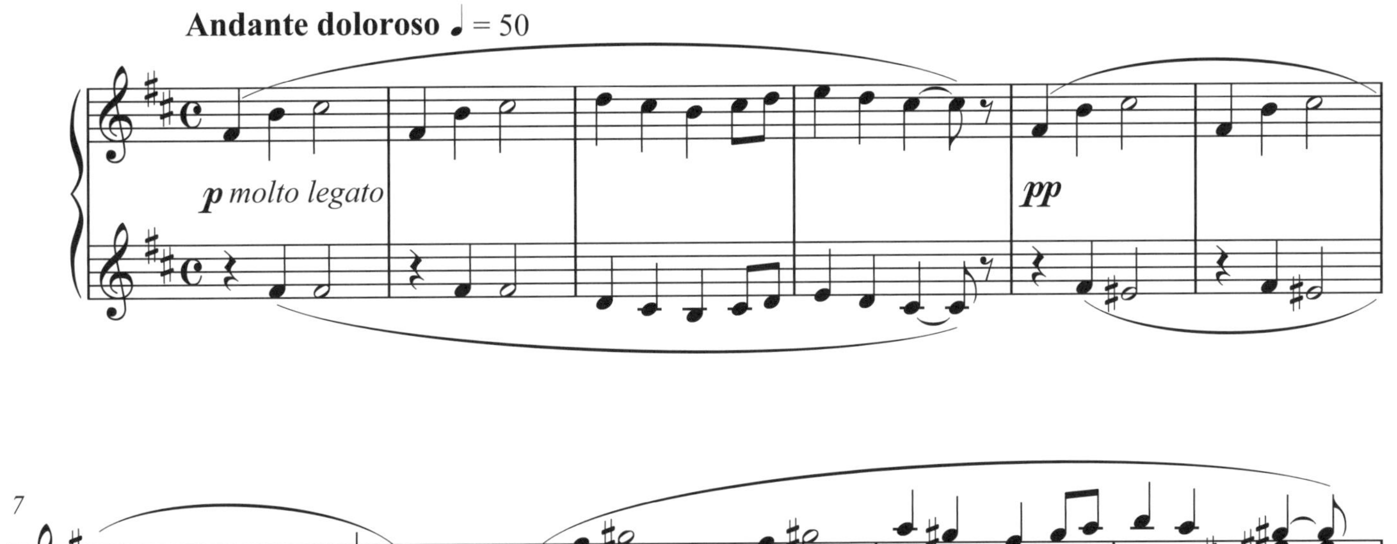

13
cresc.
più cresc.
f
19
ff
25
p
32
p
dim.
39
pp

13
cresc.
più cresc.
f
19
ff
25
p
32
più p
dim.
39
pp

Anitras Tanz

Anitra's Dance / La danse d'Anitra

Anitras Tanz
Anitra's Dance / La danse d'Anitra

39
p
fp
fp
46
fp
53
fp
60
pp
67
74
cresc.
mf

39
p
Ped.
46
1
fp
53
dolce
60
tr
pp
dolcissimo
67
cresc.
74
mf
8

81
poco rall.
a tempo
dim.
p
Ped.
87
93
98
pp
103
1.
2.
f
pp

81
poco rall.
a tempo
dim.
p
86
tr
92
(8)
98
pp
103
1.
2.
f
1

In der Halle des Bergkönigs
In the Hall of the Mountain King / Dans la halle du roi de montagne

In der Halle des Bergkönigs

In the Hall of the Mountain King / Dans la halle du roi de montagne

38
42
mf
e sempre cresc.
46
molto
50
ffz
ffz
ff e stretto al Fine
ffz
ffz
simile
Ped. *
Ped. *
simile
54
58

38
mf e sempre cresc.
43
48
molto
ff e stretto al Fine
Ped. *
52
simile
57
8

simile
simile
sempre ff e stretto al Fine
simile
stretto
8b

8
ff e stretto al Fine
(8)
fz
stretto
p
ff
2
ffz

Berceuse

Gabriel Fauré
(1845–1924)

aus / from / de: Dolly, 6 Pieces for Piano Duet op. 56,
edited by Maria Zeidler-Kröll, Schott ED 20 639

Berceuse

Gabriel Fauré
(1845–1924)

aus / from / de: Dolly, 6 Pieces for Piano Duet op. 56,
edited by Maria Zeidler-Kröll, Schott ED 20 639

23
cresc.
29
f
p
35
sempre dolce
41
47
cresc.

23
cresc.
29
f
p
35
sempre dolce
41
47
cresc.

53
rall.
f
58
a tempo
dolce
64
71
pp
77
pp

53
rall.
f
59
a tempo
pp 1(-7)
2
3
4
5
6
65
7
71
p
77
pp 1(-6)
2
3
4
5
6

Spanischer Tanz Nr. 2

Spanish Dance No. 2 / Danse espagnole No. 2

opus 12

Moritz Moszkowski
(1854–1925)

Spanischer Tanz Nr. 2

Spanish Dance No. 2 / Danse espagnole No. 2

opus 12

Moritz Moszkowski
(1854–1925)

38
45
f gajo
52
58
64
con fuoco
71

38
45
f
gajo
52
58
64
con fuoco
71
sfz

77
ff
82
87
92
1.
2.
97
p
simile

77
ff
82
87
92
1.
2.
p
97
p con sentimento

104
111
f
118
sfz
124
sfz
sfz
pp
p
131
138

104
111
f
marcato un poco
118
sfz
sfz
124
sfz
sfz
p con sentimento
131
138

En bâteau

Claude Debussy
(1862–1918)

aus / from / de: Petite suite

En bâteau

Claude Debussy
(1862–1918)

aus / from / de: Petite suite

p
f risoluto
f
p
(p)
dim.
(p)
pp
pp

pp
f risoluto
f
p
p
dim.
p
pp
pp

dim.
più p
un peu retenu
a tempo

57
2
2
f
mf
62
dim.
p
più p
67
un peu retenu
pp
2
8
pp
73
2
pp
a tempo
77
pp
81

85
p
89
2
2
dim. molto
en retenant
93
p
più p
peu à peu
98
dim.
2
2
pp
105
encore plus retenu
pp

85
p
pp
90
dim. molto
p
3
95
en retenant peu à peu
più p
dim.
100
2
5
4
3
2
2
pp
2
encore plus retenu
105
2
8
pp
pp
2
2

Cancan Grand-Mondain

Erik Satie
(1866–1925)

aus / from / de: La belle excentrique

Cancan Grand-Mondain

Erik Satie
(1866–1925)

aus / from / de: La belle excentrique

retenir
ralentir
Coda
du signe 𝄋 au signe 𝄋 et puis Coda

33
f
p
ff
41
(8)
49
p expressif
57
f
ralentir et suivre
ff
du signe 𝄋 au signe 𝄋 et puis Coda
Coda
65
f
p
ff
73
(8)

Walzer Nr. 6

Waltz No. 6 / Valse No. 6

Paul Hindemith
(1895–1963)

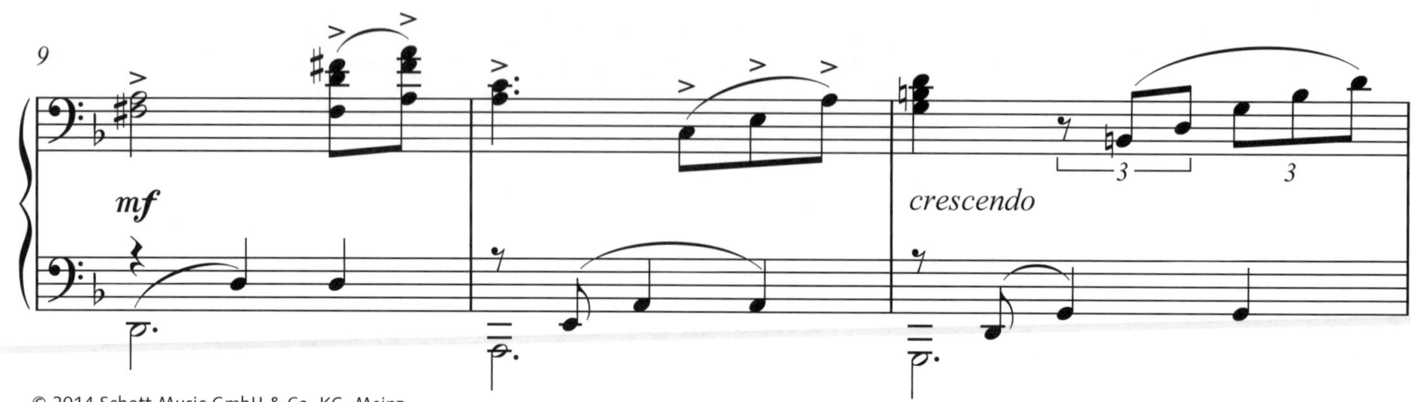

aus / from / de: Drei wunderschöne Mädchen im Schwarzwald / Three Beautiful Girls in the Black Forest / Trois belles jeunes filles de la Forêt-Noire op. 6, Schott ED 8060

Walzer Nr. 6

Waltz No. 6 / Valse No. 6

Paul Hindemith
(1895–1963)

aus / from / de: Drei wunderschöne Mädchen im Schwarzwald / Three Beautiful Girls in the Black Forest / Trois belles jeunes filles de la Forêt-Noire op. 6, Schott ED 8060

12
tr
f
ff
15
dim.
p
18
f
22
cresc.
ff

12
f
ten.
ff
ten.
15
(8)
dim.
p
18
21
f
cresc.
ff

Valsette

Eduard Pütz
(1911–2000)

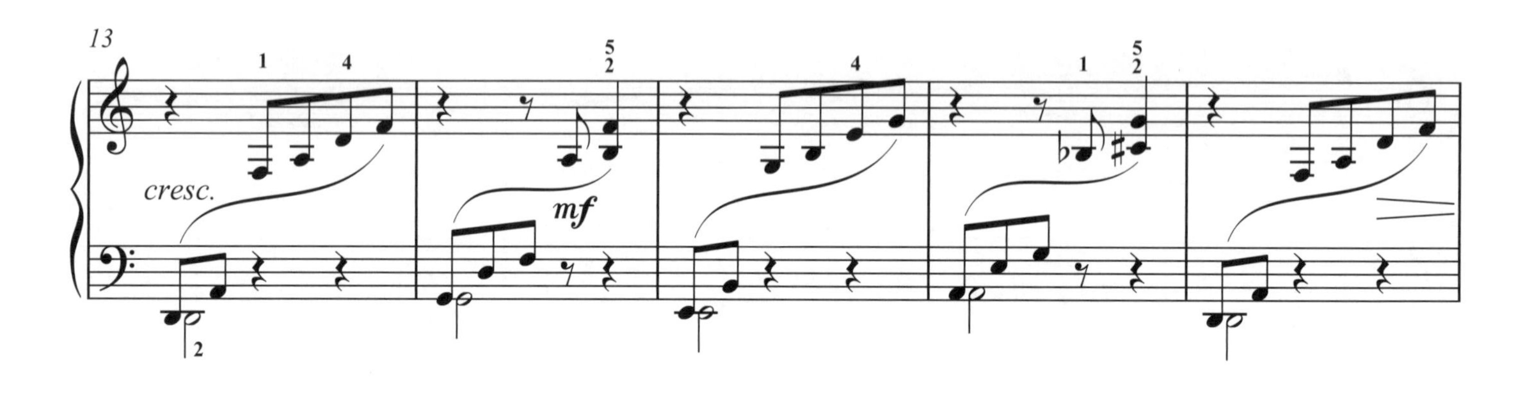

aus / from / de: E. Pütz, 3 Jazz Waltzes, Schott ED 8033

Valsette

Eduard Pütz
(1911–2000)

aus / from / de: E. Pütz, 3 Jazz Waltzes, Schott ED 8033

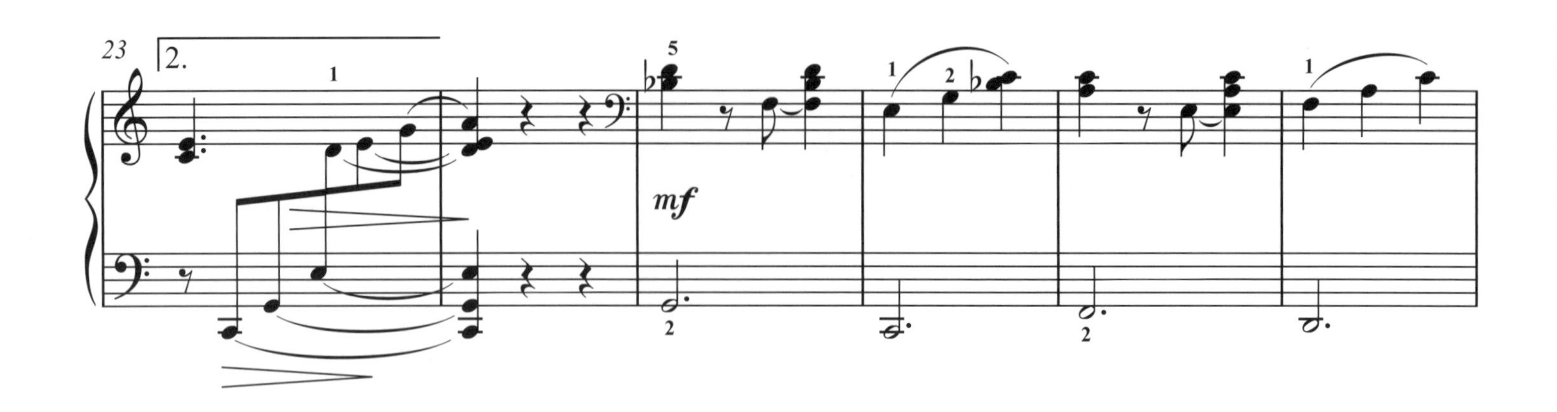
mf

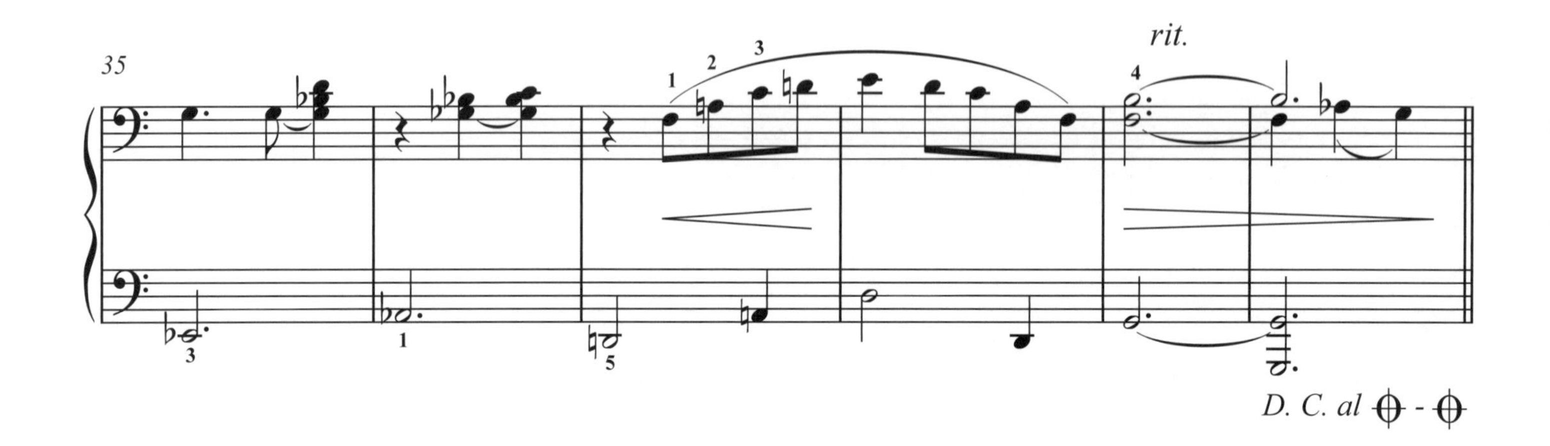
rit.
D. C. al ⊕ - ⊕

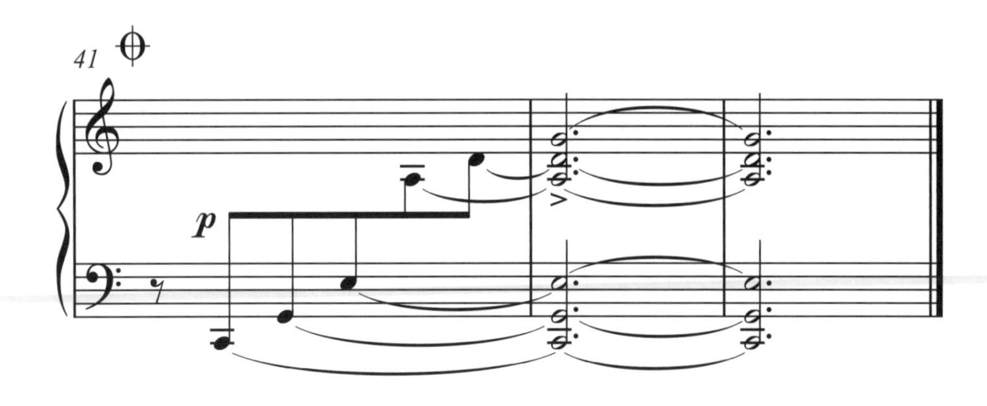
p

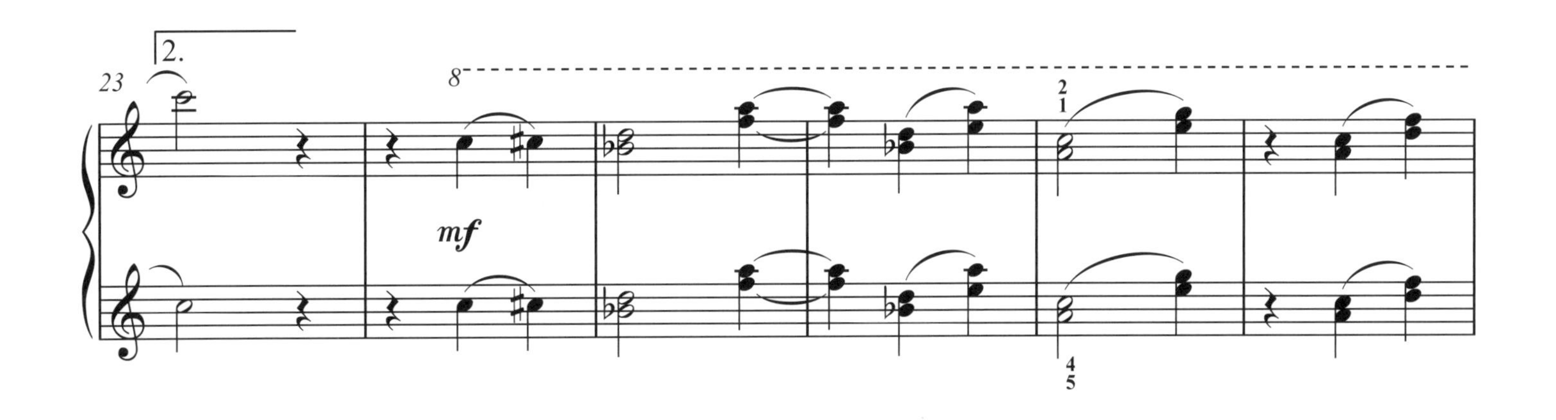
mf

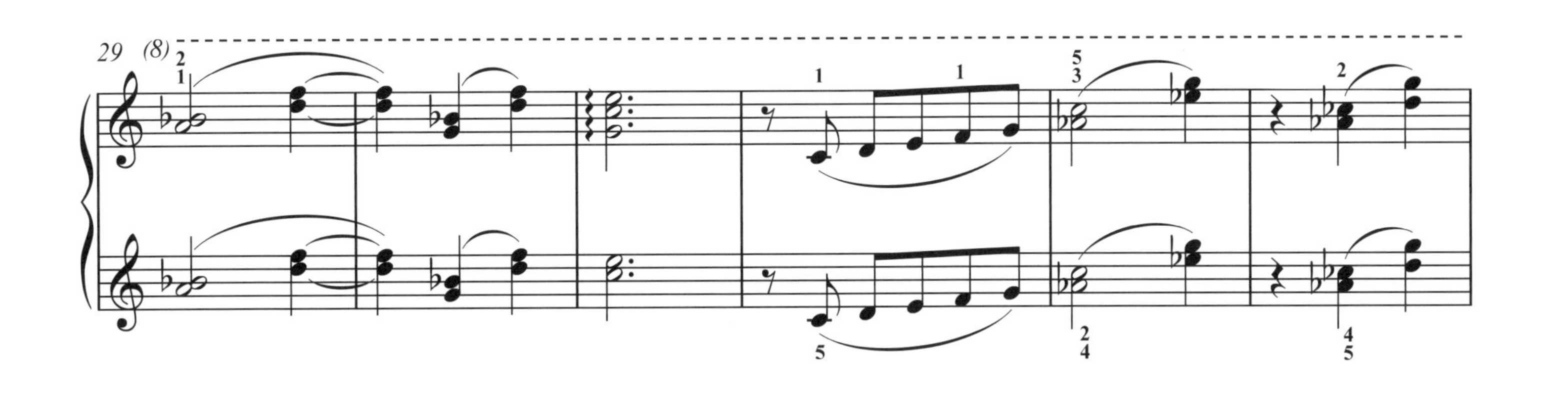

rit.
D. C. al

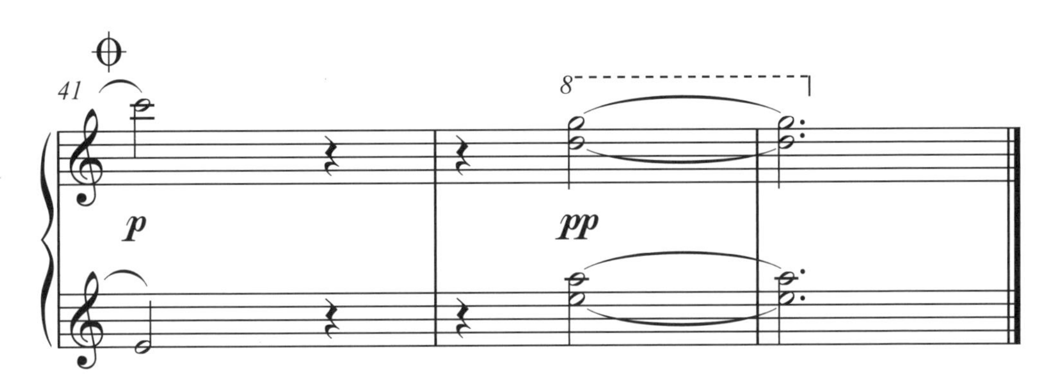
p
pp

A ma petite fille

Valse pour Nadia

Emile Naoumoff
(*1962)

A ma petite fille

Valse pour Nadia

Emile Naoumoff
(*1962)

molto rit.
Tempo primo
poco rit.
a tempo
cresc.
allargando
sim.
a tempo
(comme un regret)
poco rit.
a tempo
simile

31
molto rit.
8
Tempo primo
f
mf
mp
36
poco rit.
a tempo
pp
mf
mp
41
cant.
p
mp
46
allargando
cresc.
f
51
a tempo
p
56
poco rit.
a tempo
tr
pp

mf
senza Ped.
Ped.
ff
mf
Più animato
p
poco a poco cresc.
8b
(8b)
senza Ped.
poco string.
a tempo primo
sim.
fff
senza rit.
decresc.
ppp

61
mf
66
ff
71
Più animato
mf
p
76
secco
mp
80
poco string.
a tempo
primo
fff
84
senza rit.
sub.
p
decresc.
ppp